L'île mystérieuse

L'île mystérieuse

hachette
JEUNESSE

Bloom

C'est moi, Bloom, qui te raconte les aventures des Winx. À l'université d'Alféa où j'ai été élève, j'ai découvert peu à peu ma véritable identité. Je suis la fille du roi et de la reine de la planète Domino, qui a été détruite par les Sorcières Ancestrales. C'est ma sœur aînée, la nymphe Daphnée, qui m'a sauvée. Elle a trouvé sur Terre des parents adoptifs aimants à qui me confier. Aujourd'hui, je possède le formidable pouvoir de la flamme du dragon. Alors je suis en première ligne pour défendre la Dimension Magique et ses différentes planètes. Heureusement que je peux compter sur mes amies fidèles et solidaires : les Winx !

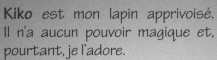

Belle, mon mini-animal, est un agneau magique. Adorable, non ?

Kiko est mon lapin apprivoisé. Il n'a aucun pouvoir magique et, pourtant, je l'adore.

Stella

Originaire de la planète Solaria, la fée de la lune et du soleil a une très grande confiance en elle. Un peu trop, parfois ! Heureusement qu'elle est aussi vive que drôle.

Ginger, son mini-animal, est un chiot magique.

Flora

Fée de la nature, douce et généreuse, elle est à l'écoute des plantes et elle sait leur parler. Cela nous sort de nombreux mauvais pas !

Coco, son mini-animal, est un chaton magique.

Tecna

Directe et droite, elle est d'une grande débrouillardise. Normal, elle est la fée des sciences et des inventions. Elle maîtrise toutes les technologies, auxquelles elle ajoute un zeste de magie.

Chicko, son mini-animal, est un poussin magique.

Musa

Orpheline, la fée de la musique est très sensible et pleine d'imagination. Face au danger, sa musique devient souvent une arme !

Pepe, son mini-animal, est un ourson magique.

Layla

Venue de la planète Andros, la fée des sports est particulièrement courageuse. Elle est très rapide et n'a vraiment peur de rien !

Milly, son mini-animal, est un lapin magique.

Roxy

Elle vit sur Terre. Nous ne la connaissons pas très bien, mais j'ai l'impression qu'elle a quelque chose de magique en elle…

Mme Faragonda

L'université des fées est dirigée par l'adorable Mme Faragonda.

Au royaume de Magix, un lieu hors du temps et de l'espace, la magie est quelque chose de normal. En plus d'Alféa, il y a la Fontaine Rouge, l'école des Spécialistes. Sans eux, la vie serait beaucoup moins intéressante…

Prince Sky

Droit et honnête, l'héritier du royaume d'Éraklyon sait mieux que personne recréer un esprit d'équipe chez les garçons. Son amour me donne confiance et m'aide à triompher des pires obstacles.

Brandon

Il est aussi charmant que dynamique et spontané. Pas étonnant que Stella craque pour lui.

Riven

Il apprend à maîtriser son impulsivité et son orgueil. Il voit beaucoup moins la vie en noir depuis que Musa s'intéresse à lui.

Timmy

Un jeune homme astucieux qui se passionne pour la technique.
Avec Tecna, forcément, ils se comprennent au quart de tour.

Hélia

Un artiste plein de sensibilité. Flora n'en revient pas, qu'un garçon pareil puisse exister.

Nabu

Il vient de la même planète que Layla, Andros. Ils ont eu du mal à se comprendre, au début, mais maintenant, ils sont inséparables.

Convoité par les forces du mal,
Magix est le lieu d'affrontements terribles.
Les quatre sorciers du Cercle Noir
menacent la Dimension Magique...
et la Terre !

Ogron

Il est le chef du Cercle Noir.
C'est un sorcier tout-puissant,
dangereux et cruel. Il hait les Winx.

Anagan

Ce prédateur ne rêve que de
pouvoirs et de richesse.

Duman

Il peut se transformer en animal féroce à n'importe quel moment.

Gantlos

C'est un chasseur de fées qui aime détruire tout ce qui l'entoure.

Résumé des épisodes précédents

Alliées aux sorciers du Cercle Noir, Mitzie et ses amies ont déclenché un terrible incendie dans le parc de Gardenia. Nous avons été à deux doigts de perdre la confiance des Terriens !

Pendant ce temps, nous avons découvert que les fées de la Terre étaient retenues prisonnières sur l'île de Tir Nan Og. Le dernier portail d'entrée ne peut être ouvert que par le Cercle Blanc. Voilà pourquoi les sorciers tiennent tant à le récupérer ! Mais pour qu'ils ne nous le volent pas, Tecna l'a dissimulé dans un jeu vidéo sur Internet.

Chapitre 1

Ce que Bloom ne sait pas

Assis en rond dans leur repaire, au fond des égouts de Gardenia, les sorciers du Cercle Noir sont de très mauvaise humeur. Mitzie et ses amies étaient ravies d'apprendre des formules magiques destructrices.

Mais elles n'ont pas réussi à faire croire aux Terriens que les Winx étaient des sorcières malfaisantes. Quel nouveau plan les sorciers peuvent-ils imaginer maintenant ?

Ogron saute sur ses pieds :

— Vous sentez cette vibration ? Je reconnais l'énergie du Cercle Blanc ! Les fées l'ont réveillée. Cela veut dire qu'elles vont bientôt partir sur l'île de Tir Nan Og. Nous devons à tout prix les en empêcher !

Anagan, Duman et Gantlos se lèvent, prêts à le suivre.

Les quatre sorciers disparais-
sent dans un tourbillon de
fumée noire.

Quelques instants plus tard,
ils réapparaissent dans le magasin des Winx. Fermé à cette
heure-ci, il est désert.

— Le Cercle Blanc n'est pas loin, je le sens, dit Gantlos.

— Ne perdons pas de temps. Les Winx peuvent surgir n'importe quand ! leur rappelle Ogron.

Tandis que Duman s'intéresse à l'aquarium géant de l'accueil, Anagan commence à fouiller le coin où les animaux magiques se reposent. Furieux d'avoir été réveillés, ceux-ci se mettent à voler autour de lui dans tous les sens.

— Sales petits monstres ! s'écrie Anagan en les chassant de la main.

Venant à son secours, Duman se transforme en un monstre féroce et poilu, mi-ours, mi-tigre. Terrorisécs, les peluches vivantes n'osent plus bouger. Gantlos en profite pour lancer sur elles une formule magique qui les paralyse.

Enfin tranquille, le sorcier se concentre sur ses pouvoirs de vision magique.

— Le Cercle Blanc est tout proche, j'en suis sûr...

Gantlos réussit à voir à l'intérieur de chaque meuble et de chaque objet...

— Je l'ai trouvé ! dit-il soudain en désignant l'ordinateur du magasin.

Anagan lève le poing, prêt à briser l'écran. Mais Ogron l'arrête.

— Attends, idiot ! Ce n'est pas comme ça qu'on va récupérer le Cercle Blanc !

À l'aide de quelques sortilèges, il fait défiler les programmes et les documents de l'ordinateur... Jusqu'à ce qu'il repère la présence magique de l'anneau dans un jeu vidéo.

— Il est dans un parc d'attraction virtuel ! Duman, tu restes dans l'appartement et tu surveilles ces bêtes volantes. Pendant ce temps, Gantlos, Anagan et moi, on va entrer à l'intérieur du jeu...

Quelques instants plus tard, trois tourbillons de fumée noire surgissent dans une allée du parc d'attraction.

Chapitre 2

À l'intérieur du jeu vidéo

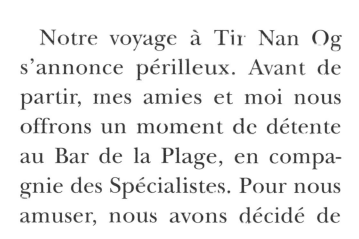

Notre voyage à Tir Nan Og s'annonce périlleux. Avant de partir, mes amies et moi nous offrons un moment de détente au Bar de la Plage, en compagnie des Spécialistes. Pour nous amuser, nous avons décidé de monter toutes ensemble sur scène et de chanter avec Musa.

Soudain, Roxy s'écrie :

— Nos animaux magiques sont en danger ! Je sens leur détresse.

Nous savons que Roxy perçoit à distance ce que ressentent les animaux. Laissant tomber notre concert, nous courons vers le magasin, Winx et Spécialistes réunis. À pas de loup, nous entrons à l'intérieur... Lorsqu'une énorme bête se dresse devant nous !

Mais nous devinons qu'il s'agit de Duman, le sorcier

spécialiste des transformations.
Pendant que nous détournons
son attention, Hélia parvient à
le capturer à l'aide de son lasso
magique.

Soulagées, nous nous empres-
sons de délivrer nos animaux

magiques. Ceux-ci se préci-
pitent dans nos bras pour se
faire câliner. Pauvres peluches
vivantes ! L'intrusion du sorcier
les a beaucoup effrayées.

Brusquement, Tecna pousse
un cri. L'air affolé, elle nous
désigne l'ordinateur. Trois
ombres noires se déplacent sur
l'écran.

— Regardez, les Winx ! Les
sorciers ont réussi à pénétrer
dans le jeu vidéo.

— Je croyais que tu étais la

seule à pouvoir le faire ? s'étonne Musa.

Bien que ligoté, Duman ricane.

— On a plus d'expérience que vous, les fées. Ça présente des avantages d'être plus âgés !

— Il faut arrêter les sorciers ! dit Layla. Est-ce que tu peux nous faire entrer dans le jeu, Tecna ?

— Timmy va me donner un coup de main. À nous deux, on devrait y arriver en très peu de temps.

Elle pianote sur l'ordinateur, puis Timmy dirige vers nous son scanner magique. Nous ne comprenons pas très bien comment ça marche. Mais nous avons confiance en nos amis passionnés d'informatique.

En quelques clics et un coup de scanner, l'équipe des Winx au grand complet se retrouve à l'intérieur du jeu vidéo ! Avec ses jolies buvettes, ses manèges d'autrefois et ses arbres bien taillés, le parc d'attraction virtuel pourrait être tout à fait charmant. Sauf qu'il y fait presque nuit et qu'une étrange atmosphère y règne…

— Quelque chose a changé

depuis que j'y ai caché le Cercle Blanc, murmure Tecna.

Musa se tourne vers moi, mal à l'aise.

— Tu ne trouves pas ce silence inquiétant, Bloom ? Il y a de la musique, d'habitude.

— La présence des sorciers doit modifier le jeu. Mais nous n'allons pas nous laisser impressionner, n'est-ce pas, les Winx ?

À l'autre bout de l'allée, se trouve un toboggan en forme de lapin bleu géant. Nous marchons dans sa direction, mais il semble reculer au fur et à mesure que nous avançons ! Même nos ailes Speedix ne nous permettent pas de nous rapprocher de lui.

— Cela ressemble à un cauchemar, fait remarquer Stella. Celui dans lequel je ne parviens jamais à atteindre le sèche-cheveux.

À cet instant, une ombre noire se jette sur Tecna. Celle-ci réagit aussitôt. Une prise de judo, accompagnée d'une bonne formule magique, et hop ! Elle repousse l'ombre qui, plus loin, reprend l'apparence d'Anagan.

— Bravo, Tecna !

— Merci, Bloom. Mais je n'y suis pas pour grand-chose. J'ai été prévenue juste avant l'attaque.

— Nous ne sommes pas seules, les Winx. N'oublions pas que, de l'autre côté de l'écran, Timmy fait son possible pour nous aider.

— Les Spécialistes doivent nous regarder, alors ! dit Stella, ravie.

Elle prend son air le plus charmeur pour faire signe à ceux qui contemplent le jeu.

Pendant ce temps, Flora est attaquée par une plante monstrueuse. Dans ce monde virtuel, la fée de la nature n'a aucune influence sur les plantes !

Mais si nous perdons tous nos pouvoirs magiques, comment allons-nous nous défendre contre les sorciers ?

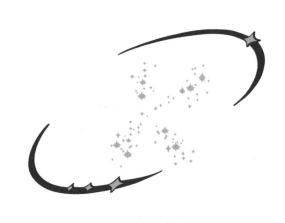

Chapitre 3

Privées de magie

Heureusement que Timmy agit sur les paramètres du jeu. Nous sentons qu'il a augmenté au maximum l'énergie que nous pouvons utiliser. Car nous résistons à une impressionnante chute de rochers, puis à une pluie de flèches enflammées.

Enfin, j'aperçois le Cercle Blanc, immobile dans le ciel devenu bleu. Je le saisis avec soulagement. Mais les sorciers sont parvenus eux aussi jusqu'à lui. Ils déclenchent un vent puissant qui emporte tout dans leur direction.

Flora, Layla et moi nous accrochons de toutes nos forces à l'anneau pour le retenir.

— Vous ne sortirez jamais d'ici, les Winx, crie Ogron. C'est nous qui avons fixé les règles du jeu !

Peut-être, mais depuis, Timmy a changé tous les paramètres du jeu à notre avantage...

— Flora, Layla, j'ai une idée, dis-je. Lâchons l'anneau !

Pourvu que je ne me trompe pas ! De toute façon, mes amies

et moi ne sommes pas capables de résister longtemps à cette bourrasque…

Ensemble, nous ouvrons les doigts. Comme tous les objets qui nous entourent, l'anneau s'envole jusqu'aux sorciers. C'est alors qu'une énorme explosion met fin au jeu.

Dans notre magasin, les Spécialistes contemplent avec stupéfaction l'écran de l'ordinateur.

— Coucou, on est là !

Ils se retournent.

— Les Winx ! Vous nous avez fait peur !

Chacune de nous tombe dans les bras de son amoureux qui la félicite pour son courage. Même Riven, qui n'est plus l'amoureux de Musa, fait l'effort de lui dire qu'il l'a trouvée très forte.

— On a été géniales ! reconnaît Stella. Mais que s'est-il passé exactement ?

— J'ai désactivé la protection des sorciers contre la magie positive, lui explique Timmy. Lorsque le Cercle Blanc a rencontré leur magie négative, ces forces contraires ont provoqué une explosion. Et le jeu s'est arrêté.

Je le félicite :

— Bravo, Timmy ! Je savais bien que tu serais un joueur plus rusé que les sorciers du Cercle Noir !

Les autres Spécialistes sont soudain un peu embarrassés. Ils

désignent les liens magiques qui retenaient Duman, maintenant abandonnés.

— Vous étiez tellement géniales, les filles, qu'on a oublié de surveiller notre prisonnier !

— Aucune importance, dit Tecna. En revanche, Bloom, nous savons maintenant que l'anneau n'est pas en sécurité sur Internet. Alors, où le cacher ?

— Inutile de chercher une autre cachette. Partons tout de suite sur l'île de Tir Nan Og ! suggère Roxy en enfilant l'anneau sur son doigt.

Je la regarde avec surprise. La fée des animaux a eu une très mauvaise expérience avec l'anneau magique. Celui-ci a tenté de se servir d'elle pour se venger des sorciers. Depuis, elle a peur de lui. Et pourtant, c'est elle qui nous encourage à l'utiliser. Et elle ne craint plus de le porter sur elle.

— Nous devons sauver les fées de la Terre, ajoute-t-elle. Je sais que c'est ma destinée. Ne perdons plus de temps. Nous ne pouvons pas prendre le risque que le seul portail du royaume des fées soit volé !

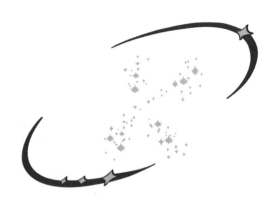

Chapitre 4

Au royaume des fées

Convaincues par Roxy, mes amies et moi accélérons nos préparatifs. Nous soignons les peluches vivantes qu'on vient de nous amener. Puis je préviens nos clients de la fermeture. Enfin, je prends dans mes bras mon lapin bleu.

— Kiko, je te nomme responsable de nos animaux magiques. C'est toi le plus grand. Tu ne feras pas de bêtises ? Je peux te faire confiance ?

Il hoche la tête avec fierté. Je le remercie et me dépêche de rejoindre mes amies.

Celles-ci sont déjà en communication avec Mme Faragonda grâce à notre téléphone magique. La directrice de notre ancienne école commence à rassembler ses pouvoirs pour nous aider à utiliser le Cercle Blanc sans risques.

— Restez unies, mesdemoiselles, et vous y arriverez. C'est une grande chance que Roxy soit avec vous.

Vite, nous enfilons nos tenues d'exploratrices et attrapons nos sacs à dos.

— L'île de Tir Nan Og n'est sur aucune carte, nous explique Tecna. Mais d'après le grand livre des fées, elle se trouve à l'est de l'Irlande. C'est là que les fées de la Terre sont retenues prisonnières.

Nous entourons Roxy qui prend l'anneau dans ses mains. Nous nous concentrons sur les formules magiques que nous avons apprises…

… Et nous nous retrouvons sur une île sauvage bercée par les vagues de l'océan et les cris des mouettes. Le paysage est magnifique, avec trois montagnes escarpées qui émergent d'une forêt ver-doyante.

Un dessin dans le grand livre des fées nous apprend que l'ancien royaume des fées se trouve exactement entre

trois sommets. Est-ce qu'il s'agirait des montagnes de l'île ?

J'appelle Roxy qui traîne en arrière.

— Tu viens ?

Mais mon amie, toute blanche, ne semble pas m'entendre. Je reviens vers elle, inquiète. Et elle s'évanouit !

Lorsqu'elle reprend conscience, elle nous raconte qu'elle a vu en rêve une fée élégante et pleine de dignité. Celle-ci lui a annoncé que ce serait à elle, Roxy, de sauver les fées prisonnières...

— Oh, Bloom, je ne sais même pas comment !

— Ne t'inquiète pas, Roxy. Tu le comprendras au bon moment.

Un peu plus tard, pendant que Roxy se repose dans sa tente, protégée par une barrière magique, nous partons explorer l'île. Stella, Layla et Tecna d'un côté, Flora, Musa et moi de l'autre.

Pour ne pas attirer l'attention de nos ennemis, nous avons décidé de ne pas utiliser la magie. Nous allons donc nous contenter de marcher et de faire de l'escalade, comme des exploratrices terriennes !

Chapitre 5

Ce que Bloom ne sait pas

Dans la tente, Roxy dort paisiblement. Puis elle commence à rêver de la même fée, digne et élégante. Celle-ci l'appelle par son nom avec tendresse. Elle la complimente sur son courage.

— Je vais vous sauver, lui

promet Roxy. Je n'ai plus peur du tout.

Mais la fée semble vouloir la prévenir d'un danger.

— Tu ne verras pas ce que tu auras sous les yeux... Ne tente pas de t'approcher en volant... Tu ne dois pas regarder en l'air...

C'est alors que le rêve se transforme en cauchemar : la fée est attrapée par une gigantesque patte pleine d'écailles !

Roxy se réveille en sursaut. Elle tremble comme une feuille.

— Je dois prévenir les Winx...

Elle sort de sa tente. Mais

une tornade noire surgit de
l'océan et se dirige vers elle.
Paniquée, Roxy tente de se rap-
peler les paroles de la fée de
son rêve : elle ne doit pas regarder en l'air...

La curiosité est pourtant la

plus forte. Et elle ne peut pas s'empêcher de lever la tête…

Au même moment, Layla aperçoit des sirènes dans la mer qui borde l'île. Ces charmantes jeunes filles à queue de poisson lui rappellent ses anciennes amies de la planète Andros.

Elles connaissent son nom et l'appellent ! Layla ne résiste plus et plonge les rejoindre. Hélas, elles se jettent sur elle pour l'entraîner dans les profondeurs de la mer…

Stella voudrait bien voler à son secours, mais elle reste figée d'admiration. Un magnifique

jeune homme, blond et musclé,
apparaît devant elle, derrière les
buissons. Il lui sourit tout en
s'approchant. Elle découvre
alors qu'il s'agit d'un centaure,
une créature mi-homme, mi-
cheval.

Tecna tente de lui dire de se
méfier. Mais c'est déjà trop tard.
Le centaure s'est transformé en
une tornade noire, qui emporte
les deux fées.

Chapitre 6

Le gardien noir

Flora, qui marchait derrière Musa et moi, disparaît d'un seul coup, mystérieusement. Inquiètes, nous l'appelons de tous côtés.

Sans succès. En revanche, nous nous retrouvons face à

un animal splendide, une sorte de cheval blanc avec une corne sur la tête. Je pousse une exclamation de surprise et de joie.

— Une licorne ! Je rêve depuis toujours d'en chevaucher une !

J'entends à peine Musa qui me conseille de faire attention, car les licornes n'existent pas. Fascinée, je m'approche pour caresser la belle robe couleur de neige de l'animal…

Hélas, celui-ci se transforme en tornade noire qui nous engloutit, Musa et moi !

Je reprends conscience avec difficulté, sur le sol froid d'une grotte. Mes amies sont toutes là, y compris Roxy. La tornade noire nous a toutes capturées !

— Il faut qu'on sorte d'ici, déclare Musa.

— C'est étrange, fait remarquer Tecna. Je ne sens aucune barrière magique autour de nous. Nos gardiens sont vraiment confiants.

— Et ceux qui ont trop confiance sous-estiment souvent leurs adversaires ! affirme Layla.

Je souris à la combativité de mes amies. Les Winx ne se laissent pas décourager facilement !

Rassemblant tous nos pouvoirs de fées, nous détruisons la porte d'accès à la grotte. Nous voilà dans un long souterrain

qui tourbillonne. Nous le sui-
vons en volant.

Soudain, Roxy est prise d'un
malaise. Nous l'aidons à se
relever.

— Ça va, Roxy ?
— Ne vous inquiétez pas pour

moi. Je suis juste affaiblie parce que cet endroit est celui où les fées de la Terre sont longtemps restées prisonnières, avant de passer de l'autre côté du portail. Elles ne cessent de me parler et je les comprends de mieux en mieux.

— Est-ce qu'elles savent qui nous a amenées ici ?

— Oui. C'est le gardien noir.

Sa description précise permet à Tecna de retrouver une image sur son ordinateur magique. Il s'agit d'un monstre marin, couvert d'écailles, avec une énorme queue. Il peut également prendre la forme d'une tornade noire. Roxy nous transmet tout ce que les fées lui ont appris à son sujet.

— Le gardien noir a été créé par les sorciers du Cercle Noir. C'est le gardien de l'île. Son rôle est d'empêcher quiconque de découvrir le portail d'accès au royaume des fées. Il capture ses victimes en les attirant avec des visions qui les fascinent.

— Les sirènes de ma planète, murmure Layla.

— La licorne dont je rêvais, enfant, dis-je.

Tecna se met à rire en

regardant Stella. Mais celle-ci, rouge comme une tomate, refuse de nous avouer comment le gardien noir l'a attirée.

— Après avoir capturé ses victimes, ajoute Roxy, le gardien noir les fait sombrer dans un profond sommeil sans fin. Nous y avons échappé grâce à nos pouvoirs magiques.

Et le gardien noir vient de s'en rendre compte. Car voilà la tornade noire qui surgit dans le souterrain, menaçant de nous emporter de nouveau.

Chapitre 7

Les fées guerrières

Mes amies et moi nous plaçons en position de combat. Chacune rassemble ses pouvoirs magiques les plus puissants.

— Ondes supersoniques !

— Flèches de feu !

— Roses d'hiver !

Sous cet assaut, la tornade se transforme en nos visions préférées : la licorne, le centaure, les sirènes... Mais cette fois, nous pouvons leur résister, car nous savons qu'elles n'existent que dans notre imagination.

Nous réalisons que le gardien noir s'en prend surtout à Roxy. Nous la protégeons si bien qu'il finit par battre en retraite.

Toujours guidée par les voix des fées, Roxy nous indique un autre couloir du souterrain :

— C'est par là !

— Tu en es sûre ?

— Fais-moi confiance, Bloom.

— Tu as raison...

Nous parvenons à un donjon englouti sous terre. Avant d'aller plus loin, je demande à Tecna de scanner ce qui se trouve de l'autre côté. Sur son écran, apparaît une muraille qui relie trois donjons.

— Il semble y avoir tout un palais sous terre, dis-je.

— Les trois sommets du plan ! s'exclame Tecna. Souvenez-vous... L'entrée du royaume des fées se trouve au milieu.

Pendant ce temps, le gardien noir a repris des forces et nous a retrouvées. Nous luttons long-temps afin d'atteindre la porte du donjon.

Heureusement, dès que nous l'avons franchie, nous pouvons souffler. La tornade noire ne

peut pas nous suivre à l'intérieur du palais.

Nous sommes dans une salle
du trône. Au centre de la pièce,
se trouve un siège majestueux. Il
est décoré d'une marque ronde
semblable au Cercle Blanc.

Roxy se rappelle les paroles de la fée aperçue en rêve :

— Tu ne verras pas ce que tu auras sous les yeux…

Comprenant ce que cela signifie, elle retire de son doigt l'anneau magique. Celui-ci reprend sa taille habituelle. Et il se place parfaitement sur la marque ronde.

Un puissant sortilège se déclenche alors. Toute la salle est illuminée par la magie, puis l'ensemble des souterrains et l'île entière.

Le royaume des fées est de nouveau accessible sous le ciel

bleu, avec un magnifique palais dressé entre ses trois montagnes. La tornade noire n'est plus qu'un mauvais souvenir.

La porte du palais s'ouvre. Une grande fée brune et élégante

se dirige vers nous avec beaucoup de dignité.

— Libre ! Enfin libre !

— La fée que je voyais en
rêve ! s'exclame Roxy.

— Exactement. Je suis Morgana,
reine des fées de la Terre.

Morgana est suivie d'une
dizaine de fées armées.

— À genoux, leur ordonne-
t-elle. Rendons hommage à
Roxy et à ses amies qui nous
ont libérées.

Toutes les fées guerrières
s'agenouillent devant nous.
Cela nous flatte, mais cela nous
fait aussi un drôle d'effet.

72

— C'est plutôt moi qui devrais vous remercier, dit Roxy. Vous m'avez guidée à travers mes rêves. Et vous m'avez aidée à prendre confiance en moi.

Nous échangeons compliments et salutations respectueuses.

Mais je vois soudain Roxy changer d'expression. Elle regarde avec terreur l'une des fées, une jolie brune. Que se passe-t-il ?

— C'est toi qui as pris le contrôle de ma volonté ! s'écrie Roxy en s'adressant à la fée. Tu voulais m'obliger à venger les fées contre les sorciers du Cercle Noir !

Morgana intervient.

— C'est vrai, Roxy. Nebula est l'une de nos fées guerrières les plus puissantes. Elle a tenté de t'utiliser, avant de comprendre que tu pouvais nous délivrer.

Ces explications sont loin de nous rassurer.

— Roxy, fée des Winx, ajoute Morgana, je t'invite à venir vivre à ma cour et à rejoindre les fées guerrières. Aujourd'hui, débute le grand temps de la vengeance.

Mes amies et moi échangeons des regards inquiets.

— Vengeance contre les sorciers du Cercle Noir ! poursuit avec colère la reine des fées. Vengeance aussi contre les peuples de la Terre qui nous ont trahies ! Ce sont eux qui nous ont privées de toutes nos forces en ne croyant plus à la magie.

Derrière elle, les fées guerrières serrent les poings en
murmurant de plus en plus
fort :

— Vengeance ! Vengeance !

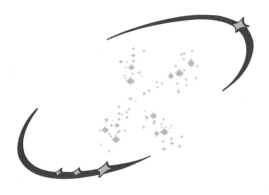

Chapitre 8

Le choix des Winx

Je m'avance d'un pas vers la reine des fées.

— Avec tout le respect que je vous dois, Majesté, je pense que vous vous trompez. Les peuples de la Terre ne comprennent rien à la magie. Ils vivent autrement que nous, avec leurs joies et leurs soucis. Ils sont innocents et ne méritent pas votre vengeance.

Nebula, la jolie guerrière brune, intervient :

— Quelle peut être l'innocence de ces peuples ? Ils dévastent la nature et détruisent la planète qui les abrite !

Tournée vers la reine des fées, je m'exprime avec beaucoup de passion :

— Morgana, je vous en supplie, renoncez à votre vengeance ! La plupart des Terriens sont bons. Vous n'allez pas punir toute la Terre à cause de quelques personnes mauvaises !

Hélas, elle ne m'écoute pas.

— Les fées vont de nouveau régner sur la Terre, les Winx. Soyons alliées, vous et nous. Je vous le demande pour la

dernière fois : voulez-vous deve-
nir des fées guerrières et com-
battre à nos côtés ?

Sans hésiter, mes amies et moi
refusons sa proposition. Morgana
semble déçue.

— Je devrais vous interdire
l'accès à la Terre. Mais puisque
je vous dois notre libération, je
n'en ferai rien. Cependant,
vous devez bien comprendre
que je paie ainsi ma dette envers
vous. Si vous vous retrouvez sur
mon chemin, les Winx, vous
serez considérées comme des
ennemies.

Sur ces paroles brutales, la

reine des fées nous tourne le dos. Elle rentre dans son palais, accompagnée de ses guerrières.

De retour sur la plage, mes amies et moi sommes toutes pensives. Roxy me propose

d'aller nous tremper les pieds dans les vagues pour nous détendre. Lorsque nous nous sommes éloignées, je comprends que la fée des animaux cherchait un prétexte pour se retrouver en tête-à-tête avec moi.

— Oh ! Bloom, je suis si malheureuse ! J'ai délivré des fées assoiffées de vengeance. Ce sont de nouveaux malheurs qui attendent la Terre.

— Ce n'est pas ta faute, Roxy.

— Dans mes rêves, Morgana paraissait si douce…

Mon amie a des larmes plein les yeux.

— Tu sais, Roxy, la reine des fées a beaucoup souffert. Mais un jour, elle retrouvera sa douceur. J'en suis persuadée.

Je fais de mon mieux pour réconforter la fée des animaux. Pourtant, je devine que la Terre va vivre encore de terribles épreuves...

FIN

Dans le Winx Club 42 :
La vengeance de la nature

Morgana, la reine des fées, veut sa revanche ! Convaincue que les Terriens doivent souffrir, elle déchaîne les éléments contre eux. Elle va même jusqu'à ordonner aux autres fées supérieures de se battre contre les Winx ! Heureusement, Mme Faragonda va leur révéler les Cadeaux de la Destinée…

Pour connaître la date de parution de ce tome, inscris-toi vite à la newsletter du site :

www.bibliotheque-rose.com

Toute l'année, retrouve la suite
des aventures des Winx !

**42. La vengeance
de la nature**

**43. Le retour des
sorciers**

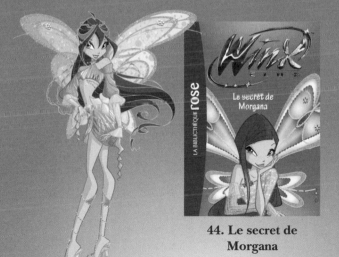

**44. Le secret de
Morgana**

Tu connais tous les secrets des Winx ?

Retrouve toutes les histoires de tes fées préférées
dans les livres précédents...

Saison 1

1. Les pouvoirs
de Bloom

2. Bienvenue
à Magix

3. L'université
des fées

4. La voix
de la nature

5. La Tour
Nuage

6. Le Rallye
de la Rose

Saison 2

7. Les mini-fées

8. Le mariage
de Brandon

9. L'étrange
Avalon

10. À la poursuite
du Codex

11. Sur la planète
du prince Sky

12. Que la fête
continue !

13. Alliance
impossible

14. Le village
des mini-fées

15. Le pouvoir du
Charmix

16. Le royaume
de Darkar

17. La marque de Valtor

18. Le Miroir de Vérité

19. La poussière de fée

20. L'arbre enchanté

21. Le sacrifice de Tecna

22. L'île aux dragons

23. Le mystère Ophir

24. La fiancée de Sky

25. Le prince ensorcelé

26. Le destin de Layla

27. Les trois sorcières

28. La magie noire

29. Le combat final

30. Les chasseurs de fées

31. Le secret des mini-fées

32. Les animaux magiques

33. Une fée en danger

34. Le pouvoir du Believix

35. La magie du Cercle Blanc

36. La vengeance de Nebula

37. Le rêve de Musa

38. Les pouvoirs de Roxy

39. Une nouvelle mission

40. Le royaume des fées

Les aventures les plus magiques
des Winx
dans trois compilations !

6 histoires magiques
de la saison 1

6 histoires féeriques
de la saison 2

6 histoires incroyables
de la saison 3

L'histoire extraordinaire
de Bloom enfin révélée !

Le roman du film
Le Secret
du Royaume Perdu

Le hors-série Winx Club
avec le roman du film,
des jeux et des tests
Le Secret
du Royaume Perdu

Le roman du film 2
L'Aventure Magique

Le roman du spectacle
Winx on Ice

Winx Club

Retrouve tes fées préférées dans Ludo !

france
3

ludo.
monludo.fr

Table